DÉTECTIVE - CLUB™

OEIL-DE-LYNX COLIN ET ANNIE ADAM

JEUX VIDÉO EN CONTREBANDE

Texte: M. Masters

traduit de l'anglais par
Claudine Azoulay et Marie-Andrée Clermont

Héritage jeunesse

Hawkeye Collins & Amy Adams in
The Case of the Video Game Smugglers & Other Mysteries

Version française

Dépôts légaux : 2e trimestre 1986
Bibliothèque nationale du Québec
Bibliothèque nationale du Canada

ISBN : 2-7625-4602-8 Imprimé au Canada

LES ÉDITIONS HÉRITAGE INC.
300, Arran, Saint-Lambert, Québec J4R 1K5
(514) 672-6710

10 9 8 7 6 5 4 3 2 1

TABLE DES MATIÈRES

SOLUTIONS À LIRE DANS LE MIROIR

Annie Adam

Oeil-de-lynx Colin

Deux jeunes détectives ou l'art de conjuger mystère et plaisir

Un reportage d'Alice Corriveau, collaboration spéciale

Deux nouveaux détectives veillent désormais sur Coteau-des-Bois : ce sont Annie Adam et Christophe Colin, alias Oeil-de-lynx, tous deux âgés de douze ans et en sixième année à l'école élémentaire locale.

Christophe Colin, le populaire détective aux yeux bleus et aux cheveux blonds mieux connu sous le sobriquet « Oeil-de-lynx », habite au 128, allée Bellevue. « C'est parce qu'il a la manie de tout remarquer que nous l'avons baptisé ainsi, explique son père, avocat du centre-ville. Il note tout dans les moindres détails. C'est d'ailleurs le secret de sa force, comme détective. » « Oui, ça, mais également sa grande habileté à manier le crayon, ajoute sa mère, qui est agent d'immeuble. Il dessine depuis sa plus tendre enfance et ses croquis

Voir DÉTECTIVES

DÉTECTIVES suite

reflètent fidèlement tout ce qu'il voit. Soit qu'il représente les lieux d'un crime, soit qu'il croque des indices, son talent remarquable aide à la solution du problème. »

Véritable dynamo aux cheveux roux et aux yeux verts pétillants de malice, Annie Adam habite en face au 131, allée Bellevue. Championne de l'équipe d'athlétisme, elle est aussi très forte en maths. « Vite sur ses patins, vive d'intelligence et prompte à la colère, nous la décrit le professeur Théo Boyer, sourire en coin. Une fille formidable, qui n'a jamais froid aux yeux. » Elle partage avec Oeil-de-lynx sa date de naissance et sa prédilection pour les mystères. Voici son conseil:

« Si un problème paraît insoluble, il suffit de l'analyser sous un angle différent. »

« Oui, ajoute Oeil-de-lynx en sortant de sa poche le bloc à dessins et le crayon qui ne le quittent jamais. Et quand nous ne pouvons pas désenchevêtrer le crime du premier coup, je fais un dessin des lieux. Nous étudions ensuite le croquis, et nous trouvons habituellement la solution. »

Quand les jeunes détectives ne sont pas en train de jouer au soccer (Oeil-de-lynx est le capitaine de l'équipe de sixième) ou à des jeux vidéo, ils se baladent à bicyclette à travers la ville, s'assurant que partout règne la justice. Avec l'aide occasionnelle de Lucie, la soeur d'Annie, et de la chienne d'Oeil-de-lynx, une fringante retriever, les jeunes détectives ont réussi à résoudre toutes les énigmes qu'on leur a soumises jusqu'ici.

Et de quelle façon en sont-ils venus à exercer ce métier d'enquêteurs ?

Eh bien, tout a commencé l'an dernier lors d'une rencontre à l'école dans le cadre du cours de choix de carrière. C'est ce jour-là qu'ils ont rencontré le sergent Duflair, policier bien connu de Coteau-des-Bois. « Ils sont formidables tous les deux, avoue fièrement celui-ci. Nous venions à peine de nous connaître quand un professeur s'est fait voler toute une pile d'examens. Je ne parvenais pas à mettre la main sur le coupable mais il a suffi à Oeil-de-lynx de faire un de ses croquis pour qu'Annie et lui découvrent son identité tambour battant. Ces deux-là, on ne leur passe rien ! » Et il ajoute :

« Je ne sais pas comment Coteau-des-Bois pouvait se passer de leurs services autrefois. Ils ont déjà retrouvé un chien kidnappé, deux jeux vidéo volés et réglé plusieurs autres affaires difficiles. Moi-même, dès qu'un cas compliqué se présente, je n'hésite pas à faire appel à ces deux détectives hors pair. »

« Ils ont retrouvé un chien kidnappé, des jeux vidéo volés et réglé plusieurs affaires difficiles. »

ecteur, amie lectrice,
u envie de résoudre ces énigmes avec nous? Eh bien, lis d'abord
que histoire avec beaucoup d'attention; observe le com-
rtement des personnages; note bien leur version des
aits; remarque également tous les petits détails suscepti-
bles de te mettre sur la piste, l'heure, par exemple, ou
le temps qu'il fait.

Scrute ensuite minutieusement l'illustration qui fait partie de l'histoire. Avec les indices que tu y repéreras (surtout si tu as les faits bien en tête), tu devrais pouvoir trouver la solution.

Pour vérifier si tu as raison, ou si un cas particulièrement difficile te mystifie, saute à la section des solutions, à la fin du livre. Comme tu l'as sans doute remarqué, celles-ci sont écrites en caractères-miroir. Pour les déchiffrer, place-toi devant une glace. Si tu n'as pas de miroir, tu peux les lire sur le verso, en tenant les pages à la lumière. (Ou encore, fais comme nous, apprends à lire à reculons. Nous sommes devenus pas mal habiles dans cet art et cela nous rend parfois de fiers services dans les cas qu'on nous présente.)

Nous te souhaitons autant de plaisir que nous en avons eu nous-mêmes dans la solution de ces problèmes!

Oeil-de-lynx et Annie

L'enlèvement au camp d'informatique

Oeil-de-lynx est prêt pour le camp d'informatique. Comme il sort de sa chambre sa valise et son sac à dos, La Fouine, sa fringante retriever blonde, renifle les affaires de son maître sans trop savoir quoi penser de tout ce branle-bas.

— La Fouine, va me chercher mon coupe-vent, là, sur mon lit. Allez, vas-y.

La chienne hésite un instant, puis saute sur le lit et saisit le vêtement bleu dans sa gueule.

— Merci, La Fouine. Et bravo.

Ils se dirigent ensuite tous les deux vers la porte d'entrée. Oeil-de-lynx pose ses bagages et reprend son coupe-vent.

— Maman ! Papa ! appelle-t-il. Je suis fin prêt !

Sa mère, qui est agent immobilier, termine une conversation téléphonique avec un de ses clients et le rejoint. Une pile de dossiers sous le bras, son père sort de son bureau où il travaillait à la préparation d'une cause.

— Tu vas nous manquer, dit madame Colin tout en caressant la chevelure blonde de son fils.

— Je t'en prie, maman, répond Oeil-de-lynx avec un haussement d'épaules, je ne m'en vais que pour une semaine.

— Et que va devenir Annie pendant ton absence ? s'enquiert monsieur Colin. Va-t-elle maintenir à elle seule l'agence de détectives ?

Annie Adam, sa voisine d'en face, est à la fois l'amie et la collègue du jeune garçon. Ils forment une solide équipe d'enquêteurs : lui observateur hors pair et excellent dessinateur, et elle intelligente et vive.

— Non, elle doit aller au chalet de son oncle Richard avec ses parents et sa petite soeur Lucie.

— Eh bien, le quartier va être drôlement calme, fait remarquer sa mère avec un sourire.

En regardant par la fenêtre, Oeil-de-lynx aperçoit une voiture brune qui tourne sur l'allée Bellevue et s'engage dans leur entrée de garage.

— Hé ! voilà Paul et son père !

Le jeune garçon ramasse rapidement ses affaires et vérifie dans la poche arrière de son pantalon s'il a bien son bloc à dessins et son crayon.

— Salut, papa, salut maman, et toi, La Fouine, sois sage. Hé, papa, tes lunettes, ajoute-t-il en remarquant la poche vide du veston de son père.

— Sans toi, je m'en allais au tribunal sans mes lunettes, sourit monsieur Colin en se tâtant. Tu sais, j'ai quelquefois peine à croire qu'on ait pu t'appeler Christophe. Ton surnom te va si bien.

Ses parents aident Oeil-de-lynx à mettre ses bagages dans la voiture puis ils lui disent un dernier au revoir. Le jeune garçon a tellement hâte de partir que les adieux lui semblent interminables.

Assis sur le siège arrière, Oeil-de-lynx et son ami, Paul Yimamoto, jouent à tour de rôle avec un jeu de football portatif. En chemin, le père de Paul, un ingénieur informaticien, leur parle du camp.

— Les garçons, ce qu'il y a de bien dans ce camp, c'est que chacun de vous aura son propre terminal.

— Youppi ! Et l'après-midi on pourra s'y amuser avec des jeux, en conclut Paul.

Monsieur Yimamoto, l'un des fondateurs du camp, éclate de rire.

— C'est vrai, mais tâchez d'apprendre autre chose que des jeux. Profitez-en pour vous familiariser le plus possible avec la programmation.

Et il continue de parler d'ordinateurs jusqu'à l'arrivée. Les deux garçons, tout excités, prennent alors congé et se dirigent tout droit vers leur chalet.

L'horaire de l'après-midi comprend un tour du propriétaire pendant lequel le personnel montre aux jeunes garçons et filles présents les ordinateurs, les terminaux et les imprimantes du camp.

Ce soir-là, après un festin de hot-dogs grillés au bord du lac, des réunions et d'autres présentations, tout le monde va se baigner. Les campeurs se couchent de bonne heure, emballés à l'idée des cours qui commencent dès le lendemain matin.

Or, à l'appel pour le premier cours, Paul ne répond pas à son nom.

— Il dort encore, sans doute, suppose le moniteur, qui envoie Oeil-de-lynx et Alice, une autre campeuse, à sa recherche.

— Nous sommes dans le même chalet, répond Oeil-de-lynx. Je sais qu'il est levé puisque je l'ai vu ce matin. D'ailleurs, nous avons déjeuné à la même table. Mais, où qu'il se cache, nous allons le trouver.

Accompagné d'Alice, le jeune détective se rend à la cantine qu'il trouve déserte. Le cuisinier, la seule personne présente dans la cuisine, n'a pas vu Paul non plus.

— Peut-être se sentait-il malade et est-il retourné se coucher, présume Oeil-de-lynx. Allons voir dans le chalet.

— Ouais, il doit être en train de ronfler, plaisante Alice.

Mais ils trouvent le chalet vide et silencieux.

— Mais où peut-il bien être ? demande la jeune fille.

S'approchant du lit de Paul, Oeil-de-lynx aperçoit, posé sur le sac de couchage, un message écrit de la main de son ami.

— Oh non ! s'écrie-t-il après y avoir jeté un coup d'oeil. Paul a été enlevé !

Alice lit à son tour la demande de rançon :

— De quoi parlent-ils ? s'informe-t-elle. Quel plan faut-il apporter ?

Après un moment de réflexion, Oeil-de-lynx explique :

— Le père de Paul travaille sur un nouvel ordinateur, un modèle énorme, en fait le plus rapide du monde. Les ravisseurs doivent en vouloir le plan.

— Vite, Oeil-de-lynx, allons chercher de l'aide.

— Attends une seconde.

Après avoir étudié le message un moment, le garçon sort son bloc à dessins et son crayon. « Il y a quelque chose de bizarre là-dedans », se dit-il en scrutant le texte à l'affût d'indices.

— Si seulement Annie était ici, soupire-t-il, elle est bonne dans ce genre de problèmes.

Il griffonne sur son bloc et une idée commence à germer dans sa tête. Il s'arrête soudain de gribouiller, écrit rapidement une série de lettres puis fait claquer ses doigts.

— Alice, cours au bureau et demande qu'on appelle la police. Je sais où les ravisseurs séquestrent Paul.

OÙ SONT PAUL ET SES RAVISSEURS ?

our le père de paul

on a eMmené vOtrE fiLs.

Pour le récupérER,

apportez le plandirecteur DU

nouvel ordinateur.

laissez la poliCe en deHors deça.

on plaiSantE

Pas du tout.

Oeil-de-lynx trouve un message posé sur le sac de couchage.

Le chipeur de tomates

Par une belle soirée d'automne, les jeunes détectives rentrent chez eux après une partie de soccer.

Oeil-de-lynx donne un coup de pied au ballon qui retombe sur la pelouse fraîchement tondue du jardin de son amie. Ils s'élancent tous les deux à sa poursuite, et les tresses rousses d'Annie se balancent au rythme de sa course.

— J'aurais bien voulu jouer une autre partie, mais on est dimanche soir et il faut que je fasse mes devoirs, se lamente-t-elle tout en attrapant le ballon du pied et en le projetant en avant.

— Yerk ! Des maths, grimace Oeil-de-lynx.

En effet, celui-ci a beau être un as en informatique, en histoire et en art, les maths lui donnent du fil à retordre.

— Mes parents prétendent que je réussirais mieux en mathématiques si j'étudiais un peu plus, et c'est ce qu'ils m'obligent à...

— Nom d'un serpent à sonnettes ! s'exclame Annie qui a un répertoire de jurons plutôt inhabituels. Le voleur de tomates est de retour !

Une silhouette sombre se dissimule derrière la maison des Adam.

— Attrapons-le !

Dans un élan de gazelle et avec force cris, Annie atteint le potager. Un peu perplexe, Oeil-de-lynx hésite un instant puis démarre à son tour.

— Espèce de vaurien ! Bandit ! Voyou ! hurle la jeune détective. C'est les tomates de ma famille. On les a fait pousser avec des graines. N'y touche pas !

Prenant ses jambes à son cou, la forme floue contourne un arbre puis disparaît derrière une maison, Annie à ses trousses.

— Lâche pas, Annie ! l'encourage Oeil-de-lynx. Toi, la championne de l'équipe d'athlétisme, tu dois pouvoir lui mettre le grappin dessus !

— Il perd rien pour attendre, ce mécréant. Il a chipé nos plus belles tomates.

Oeil-de-lynx file à travers le jardin, enjambe le potager, saute dans le jardin voisin, et rejoint son amie dans la rue adjacente. Adossée à une clôture, celle-ci reprend son souffle.

— Il... il courait vraiment vite, halète-t-elle, il... m'a échappé.

Sur ces entrefaites, ils entendent une porte claquer tout près. Ils se figent et écoutent, mais le silence est total.

— Ça venait d'une de ces quatre demeures, dit Oeil-de-lynx en indiquant une rangée de maisons de l'autre côté de la rue.

— Très juste, acquiesce Annie tout en se remettant en route. Je vais au moins prévenir les gens qui habitent là qu'il y a un voleur de tomates en liberté. Et s'il habite lui-même dans une de ces maisons, il saura que je l'ai à l'oeil. Il ferait mieux de ne pas remettre les pieds dans *mon* jardin.

Et, les poings fermés, elle démarre en trombe.

— T'es vraiment en colère, remarque Oeil-de-lynx.

— Ah, ça, tu peux le dire !

— T'es vraiment en col..., glousse le garçon.

— Je t'en prie, coupe Annie, épargne-moi ton humour grinçant.

Les deux amis traversent la rue et se présentent à la première maison. Ils connaissent bien la femme qui vient leur ouvrir. Pendant qu'Annie la prévient de la présence d'un voleur dans le quartier, Oeil-de-lynx sort son bloc à dessins pour prendre des notes.

— Annie, est-ce qu'il s'intéresse aussi aux brocolis ? s'informe la dame.

— Yerk ! grimace la jeune détective. Qui voudrait voler ça ?

— Bon, alors, s'il ne vole que les tomates, je ne crains rien. Je n'en ai pas planté cette année.

Ils sonnent ensuite chez un joueur de football collégial à la carrure impressionnante. Au moins deux fois plus gros que les deux amis réunis, il parle avec une voix tonitruante.

— Les amis, les seules tomates que j'ai sont en boîte. J'crois pas que quelqu'un viendrait ici pour me voler ça. Qu'est-ce que t'en penses, p'tit gars ? demande-t-il à Oeil-de-lynx en lui tapotant vigoureusement la tête.

— Je... je crois que vous avez tout à fait raison, répond le jeune garçon, plutôt mal à l'aise, en se tournant vers son amie qui sourit discrètement.

À la troisième habitation, c'est un élève du secondaire à la réputation de fauteur de troubles qui leur ouvre la porte.

Les poings toujours fermés, Annie déclare :

— Il y a un voleur de tomates dans le quartier.

— Et alors ? répond l'autre.

— Tu ne sais rien de cette affaire ? questionne Annie.

Ce garçon n'inspire pas confiance à Oeil-de-lynx qui, reculant de quelques pas, sort son bloc à dessins. Sans quitter leur interlocuteur des yeux, le jeune détective commence à le croquer ainsi que la pièce derrière lui.

— Non, bougonne le gars tout en s'essuyant le nez du revers de la main.

— En tout cas, si tu as un potager, je te conseille de le surveiller.

— On n'en a pas.

— Tu es sûr de pouvoir rien nous dire au sujet d'un voleur de tomates ? insiste Annie. Je viens de poursuivre quelqu'un qui se dirigeait par ici.

— Écoute, Fifine, je t'ai déjà dit que non. J'suis pas sorti de la soirée. Comme vous pouvez le voir, continue-t-il en se retournant pour leur montrer l'intérieur de la pièce, j'ai fait que regarder la télé et souper. Tu parles, j'aime même pas les tomates. J'y suis allergique.

Là-dessus, il leur claque la porte au nez. Les deux détectives décident de rentrer chez Annie.

— Ce qu'il est méchant, celui-là, commente celle-ci. J'espère qu'on ne devient pas tous comme ça à l'école secondaire.

Sans quitter leur interlocuteur des yeux, Oeil-de-lynx commence à dessiner.

— Annie, viens, nous allons chercher le footballeur.

Annie fige sur place.

— Oeil-de-lynx, si c'est lui le voleur, il peut se les garder les tomates. Je pourrai même lui en apporter d'autres s'il veut.

— Non, Annie, tu n'as rien compris. Nous avons besoin de son aide pour pincer ce voyou.

— Qu'est-ce que tu racontes ?

— Regarde le croquis que j'ai fait pendant que ce gars te parlait, poursuit Oeil-de-lynx. Observe-le attentivement et tu comprendras.

POURQUOI OEIL-DE-LYNX CROIT-IL QUE C'EST LE GARÇON DU SECONDAIRE QUI A VOLÉ LES TOMATES ?

Le mystère du sauveteur inconnu

— Oeil-de-lynx, Annie, je n'y vois pas clair dans cette affaire, c'est le cas de le dire, plaisante madame de Pluquebeurre en touchant son front bandé. J'ai reçu un tel coup que je ne sais pas très bien ce qui s'est passé. Je voudrais au moins envoyer une lettre de remerciement à la personne qui m'a aidée à sortir de la bibliothèque de Coteau-des-bois. Comme vous le savez, toutes les lumières se sont éteintes pendant l'orage et je ne sais pas qui m'a secourue.

Les jeunes détectives rendent visite à madame de Pluquebeurre, la personne la plus riche de la région, dans son salon privé. Leur hôtesse porte un kimono vert pâle acheté au cours d'un de ses voyages autour du monde. En jeans, gilets à col roulé et espadrilles, Oeil-de-lynx et Annie ne se sentent pas tellement à leur place dans ce décor.

Ils sont pourtant déjà venus au manoir, situé sur le sommet d'une colline qui domine la ville. La première fois, ils ont aidé à élucider un vol de diamants et depuis, madame de Pluquebeurre fait appel à eux chaque fois que quelque chose de mystérieux se produit. Ainsi sont-ils devenus de grands amis tous les trois.

— Après votre coup de téléphone ce matin, commence Oeil-de-lynx, un dessin à la main, je suis allé à la bibliothèque et j'ai tracé le plan du sous-sol.

Le plan qu'il a dressé lui plaît. Il s'est même dit, en le faisant, que plus tard, s'il ne pouvait pas devenir détective, il serait architecte.

— Il nous sera sans doute utile, mais nous devrions commencer par le commencement, intervient Annie. Racontez-nous tout ce qui s'est passé.

— Bien, je suis allée à la bibliothèque l'autre matin pour faire don des derniers livres rares laissés par mon arrière-arrière-arrière grand-père. Comme vous le savez, la salle des livres rares se trouve au sous-sol de l'immeuble. Je suis donc entrée, précédée de mon chauffeur et d'autres personnes qui portaient des caisses pleines de livres.

— Vous êtes entrée par la porte principale ? demande Oeil-de-lynx tout en vérifiant son plan.

— Oui.

— Avez-vous parlé à quelqu'un ? interroge Annie.

— Oh oui, à plein de monde. J'ai d'abord salué le gardien, puis les bibliothécaires. Et il y avait une vingtaine d'enfants adorables dont c'était la première visite à la bibliothèque; je les ai embrassés, tous.

— Ensuite ? interrompt Oeil-de-lynx.

— Je suis descendue au sous-sol.

— Par quel escalier ? interrompt à son tour Annie en se grattant la tête. Principal ou de service ?

— Attendez que je me rappelle... Principal. Le temps que j'arrive, on avait déjà déposé mes livres rares dans la salle à laquelle ils étaient destinés. En descendant, je me suis arrêtée sur le palier où j'ai discuté un moment avec le concierge.

Madame de Pluquebeurre fait une pause, fronce légèrement les sourcils, et essaie de se remémorer la suite des événements.

— Après cela, j'ai salué une bibliothécaire qui passait par là. En bas de l'escalier, j'ai parlé à la préposée aux renseignements. Elle sait tout et elle a une chienne d'aveugle très gentille que j'ai d'ailleurs caressée.

Oeil-de-lynx commence à s'y perdre. Il trace donc sur son plan, en ligne pointillée, le chemin suivi par madame de Pluquebeurre. Les yeux toujours rivés sur son croquis, il la prie de continuer.

— Comme vous le savez, un orage terrible a éclaté juste après mon arrivée au sous-sol. Je me trouvais dans le passage menant à la salle des livres rares lorsqu'un tonnerre à réveiller les endormis a commencé à gronder.

— Vous voulez dire les morts, rectifie Oeil-de-lynx, à réveiller les morts. C'est ce que vous voulez dire ?

— Bien sûr, suis-je bête, reconnaît la dame en se tapotant le front. Le coup que j'ai reçu m'a un peu brouillé les idées.

— C'est vrai que vous avez reçu un bon coup, commente Annie après avoir regardé la blessure de madame de Pluquebeurre.

— En tout cas, continue cette dernière tout en jouant avec sa boucle d'oreille en diamant, même en bas dans le sous-sol, je pouvais entendre la pluie et le tonnerre. C'était vraiment terrible ! Quel orage ! Puis un éclair gigantesque a frappé la bibliothèque. Vous le croirez ou non, mais l'immeuble a presque sauté.

— C'est à ce moment-là que les lumières se sont éteintes ?

— Oui, toutes sans exception. Même celles des sorties d'urgence. L'obscurité totale. Imaginez-vous, pas le moindre filet de lumière puisque je me trouvais au sous-sol et qu'il n'y a pas une seule fenêtre.

Les yeux de madame de Pluquebeurre s'écarquillent d'excitation.

— Je suis d'abord restée immobile puisque je ne voyais rien, puis j'ai commencé à marcher. Mais à peine avais-je fait deux pas que je bute contre un objet, une caisse ou autre chose. Je tombe et ma tête frappe le sol.

— C'est alors que quelqu'un est venu vers vous, enchaîne Oeil-de-lynx, vous a aidée à vous relever et vous a conduite en haut jusqu'à l'entrée principale. C'est ça ?

— Oui, dans l'obscurité, vous vous rendez compte ?

— Mais vous n'avez pas eu la chance de voir qui c'était ? demande Annie.

— Non, malheureusement. Je me suis frappé la tête assez durement et j'étais plutôt confuse. Je ne voyais rien et je n'arrivais pas à penser clairement. Et tous les enfants qui pleuraient. C'était vraiment la panique. Tout ce dont je me souviens, c'est de la douleur. Et celui ou celle qui m'a aidée a disparu dès que je suis arrivée à la porte d'entrée. Ensuite, quelqu'un a appelé une ambulance et on m'a transportée à l'hôpital.

— Vous êtes-vous informée à la bibliothèque ? questionne Oeil-de-lynx.

— Oui, bien sûr, j'ai téléphoné plusieurs fois pour demander si quelqu'un sait qui est venu à mon secours. Mais personne n'en a la moindre idée. Il y avait trop d'affolement.

Madame de Pluquebeurre lève ses mains en signe de découragement.

— Je voudrais au moins écrire à cette personne pour la remercier et l'inviter à un petit repas. Mais c'était peut-être quelqu'un qui ne travaillait pas à la bibliothèque. Je ne connaîtrai sans doute jamais son identité.

Penchés sur le plan, les deux amis suivent des yeux le chemin parcouru par madame de Pluquebeurre. Ils se remémorent chacune de ses paroles et explorent la bibliothèque dans leur tête. Quelques minutes plus tard, Oeil-de-lynx fait claquer ses doigts et relève la tête, un grand sourire aux lèvres.

— J'y vois clair maintenant, déclare-t-il, je suis pas mal sûr de savoir à qui vous pouvez adresser vos remerciements.

QUI A AIDÉ MADAME DE PLUQUEBEURRE LORSQUE LES LUMIÈRES SE SONT ÉTEINTES ?

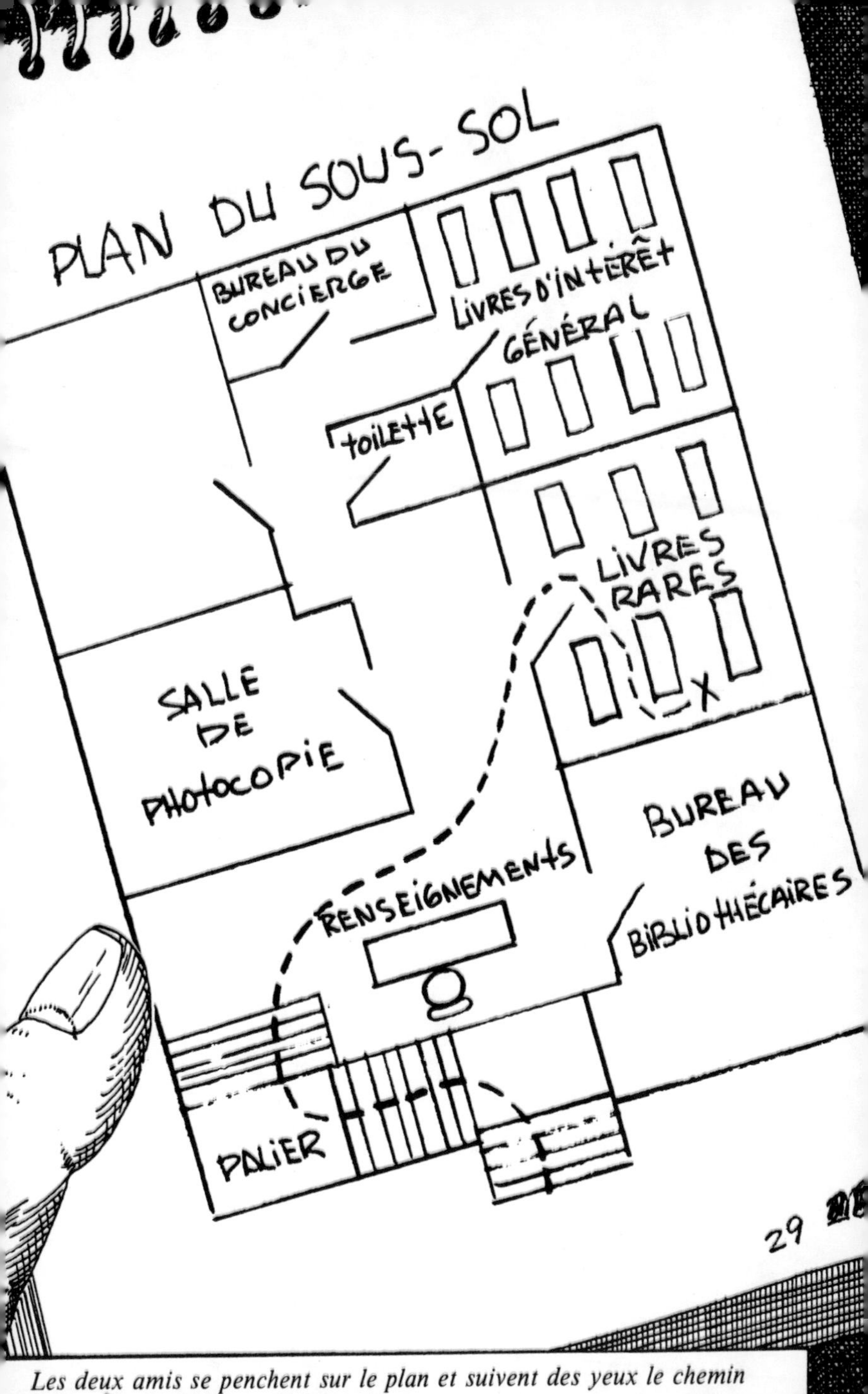

Les deux amis se penchent sur le plan et suivent des yeux le chemin parcouru par madame de Pluquebeurre.

Jeux vidéo en contrebande

Dans un crissement de pneus, l'auto-patrouille du sergent Duflair prend le virage sur les chapeaux de roues. La voiture dérape dangereusement et les deux jeunes détectives assis sur le siège arrière essaient de se protéger du mieux qu'ils peuvent en retenant leur souffle.

Une fois revenu sur une ligne droite, le sergent appuie à fond sur l'accélérateur et les voilà qui foncent vers l'aéroport. Pourquoi tant de hâte ? Parce que les contrebandiers de jeux vidéo ont encore frappé. Cette fois-ci, ils ont volé toutes les copies du jeu de Nouilles électroniques.

— J'avais proposé une bonne idée au club d'ordinateurs Les Puces, se lamente Oeil-de-lynx, un jeu vidéo de spaghetti aux boulettes de viande. On n'a terminé la programmation de la bande principale qu'hier et voilà qu'on se la fait faucher aujourd'hui.

— C'est vraiment odieux de voler, et surtout à des jeunes, convient le sergent. Nous avons la chance qu'un des ex-complices de ces filous partage cet avis. Sinon, nous n'aurions pas obtenu le tuyau selon lequel ils doivent prendre l'avion à seize heures.

— S'il s'agit des deux voyous que j'ai aperçus près de l'école, je les reconnaîtrai peut-être, dit Annie. C'était vraiment affreux de revenir à la salle des ordinateurs, d'y trouver le lecteur de disquettes vide et ce message stupide sur l'écran : « Accès au fichier refusé ».

Empruntant une entrée latérale, le policier roule jusqu'à l'aérogare et freine brusquement devant une porte de service.

— J'espère que tu vas pouvoir les reconnaître, Annie, dit-il en regardant dans le rétroviseur. Trois autres personnes se sont fait chiper leurs idées de jeux vidéo. Le dernier vol remonte à cinq mois. J'ai pourchassé les bandits jusqu'à l'aéroport, mais ils s'étaient déguisés et ils ont réussi à s'échapper.

— Où les avez-vous perdus ? demande Oeil-de-lynx.

— Près de la porte où se trouve le détecteur de métal, mais nous avons quand même pu obtenir un cliché de deux suspects.

Le sergent sort une photographie de sa poche.

— Tenez, c'est mon agent secret qui l'a prise. Ces deux types ne voulaient pas que leurs sacs à appareil-photo soient radiographiés. Nous en avons déduit qu'ils y avaient peut-être mis les disquettes et qu'ils craignaient que les rayons X ne les détériorent.

— Ont-ils demandé une fouille visuelle ? questionne Annie après avoir examiné la photo.

— Oui, mais on n'a trouvé aucune trace des jeux vidéo, réplique le sergent Duflair. C'est pour cela qu'on ne les a pas arrêtés.

Le policier sort de sa voiture et il entre dans le bâtiment, les deux jeunes détectives sur les talons.

— Je vais me déguiser moi aussi, reprend-il avec un sourire en se dirigeant vers les toilettes.

— Nous allons monter et vous attendre près du détecteur de métal, propose Oeil-de-lynx.

— D'accord, mais ne faites rien. Prévenez-moi seulement si vous les voyez.

— Entendu, répond Annie.

Les deux amis empruntent l'escalier et pénètrent dans un long corridor. En quelques minutes, ils repèrent la porte où se trouve le détecteur de métal. Bloc à dessins en main, Oeil-de-lynx s'assoit sur un banc tandis qu'Annie, debout près d'une distributrice de friandises, fait mine de ne pas savoir quoi choisir.

Quelques instants plus tard, le sergent Duflair arrive, coiffé d'une perruque grise et affublé d'une moustache postiche bien fournie; il porte des lunettes à monture métallique et une veste à carreaux qui ne se ferme pas complètement sur son ventre bedonnant.

— Ce que vous avez l'air ridicule, pouffe Oeil-de-lynx.

— Chut ! murmure le policier. Tu ne me connais pas, tu te rappelles ?

— Ça c'est vrai, poursuit le garçon dans un éclat de rire. Qui voudrait se faire voir en compagnie de quelqu'un à l'air aussi maboule ?

— Dis donc, c'est un déguisement réussi. Je ne veux pas que les voleurs me reconnaissent.

— Rassurez-vous, je ne crois pas qu'ils le puissent. Et j'espère qu'on va pouvoir récupérer notre jeu vidéo, grommelle le jeune garçon d'un ton rageur.

— Je l'espère aussi, Oeil-de-lynx. Bon, et maintenant, tu as bien la photo ?

— Oui, oui, juste ici. Je vais dessiner tous ceux qui ont un sac à appareil-photo et qui demandent une fouille visuelle. Ensuite, je comparerai mes croquis avec le cliché des suspects.

— Bon, tu m'avertis si tu les repères.

Sur ce, le sergent Duflair va prendre son poste d'observation dans une cabine téléphonique située dans le corridor.

Oeil-de-lynx place le cliché à côté de son bloc à dessins et s'installe comme pour faire des devoirs. « Même si les voleurs se déguisent, pense-t-il, il y aura bien un détail qui me permettra de les reconnaître. »

Des passagers s'approchent du détecteur de métal et posent leurs sacs et leurs paquets sur le tapis roulant pour les faire vérifier. Trois hommes, arrivés séparément, se placent dans la file en même temps pour faire fouiller leurs sacs à appareil-photo par les gardiens.

Oeil-de-lynx dresse l'oreille. Tout en mordillant sa lèvre inférieure, il dessine un croquis de chacun de ces hommes. Puis un quatrième se joint à la file. Quelques secondes plus tard, Annie quitte la distributrice à friandises et, en passant près de son ami, elle lui chuchote :

— Regarde bien le type qui porte des lunettes de soleil et le gros avec un sac en bandoulière.

— D'accord, murmure le jeune garçon sans lever la tête. Et le type qu'on est en train de fouiller, pourrais-tu aller l'examiner de plus près et même regarder dans son sac ?

— Pas de problème.

La jeune détective s'approche de la file de passagers. Soudain, elle échappe une poignée de pièces de monnaie qui roulent sous la table où sont fouillés les sacs.

— Mon argent ! Mon argent ! hurle-t-elle en gesticulant. J'ai dû laver une tonne de vaisselle pour gagner cet argent ! Je veux le récupérer !

Elle plonge dans la foule éberluée. Oeil-de-lynx réprime un éclat de rire tandis que tout le monde regarde son amie se faufiler à quatre pattes au milieu des jambes. Elle lève la tête, jette un coup d'oeil dans le sac à appareil-photo ouvert, posé sur la table, puis repart à la recherche de ses pièces.

En repassant devant Oeil-de-lynx, quelques minutes plus tard, elle lui souffle :

— Ce type ne me rappelait personne. Et tout ce que j'ai vu dans son sac, c'est une caméra.

— Zut !

Deux autres hommes préfèrent une fouille visuelle de leur mallette. Oeil-de-lynx les croque sur le vif.

Tous les passagers ont maintenant franchi la porte. Il y a donc en tout six dessins que le jeune détective compare avec le cliché.

— Si les voleurs sont là, je devrais pouvoir les reconnaître, se dit-il en se tapotant la tête avec son crayon. Et il faut que j'essaie de deviner où ils ont caché la disquette du jeu vidéo.

Ses yeux passent de la photo à ses dessins et du

dessin à la photo. Petit à petit, il commence à remarquer certaines ressemblances.

— Ce nez me dit quelque chose. Ces yeux aussi. Mais oui ! En voilà un !

— Oeil-de-lynx, je n'ai pas réussi à repérer un seul des suspects, déclare le sergent Duflair revenu de son poste d'observation. Et pas la moindre trace du jeu vidéo volé.

En colère, le policier retire d'un coup sec sa fausse moustache, ce qui lui arrache un cri de douleur.

— Attendez, Sergent, reprend Oeil-de-lynx. Regardez ça. Comparez votre photo et mes dessins.

Perplexe, le policier les examine en se grattant la tête.

— Oui... bien... euh... je vois, bafouille-t-il. Mon garçon, où veux-tu en venir ? C'est toi qui as les yeux clairs. Éclaire ma lanterne.

— Allez, Sergent, regardez bien ! insiste Oeil-de-lynx en montrant du doigt deux des personnages dont il a fait le portrait.

Il se frappe soudain le front.

— Hourra ! Regardez ! Voilà où est cachée la disquette du jeu vidéo.

QUI SONT LES CONTREBANDIERS DES JEUX VIDÉO ET OÙ EST CACHÉE LA DISQUETTE ?

— Je comparerai mes croquis avec le cliché des suspects, dit Oeil-de-lynx.

L'accident au pont de l'Anse-au-Moulin

En retard pour une pratique de soccer, Oeil-de-lynx et Annie empruntent un raccourci. Ils pédalent à toute allure à travers prés pour rejoindre le sentier de l'Anse-au-Moulin.

— Je vais te battre, Oeil-de-lynx, crie Annie, ses cheveux roux flottant au vent.

— Jamais ! lui rétorque Oeil-de-lynx en se penchant un peu plus sur son guidon.

Pendant quelques secondes, ils roulent côte à côte, soulevant une traînée de poussière dans leur sillage, puis, en arrivant près du vieux pont de bois de l'Anse-au-Moulin, Annie prend la tête. C'est à ce moment-là qu'ils entendent un appel au secours.

— Qu'est-ce que c'est ? demande Oeil-de-lynx en freinant sec.

Annie effectue un dérapage contrôlé, immobilise son vélo et regarde de tous les côtés.

— Moi aussi j'ai entendu un cri. On aurait dit quelqu'un en difficulté.

— Au secours ! gémit une voix fluette.

— Ça vient d'en bas, indique Oeil-de-lynx. De la rivière.

— Au secours ! répète la voix. Je suis blessé. Ici près du pont.

Les deux détectives se précipitent. Le visage crispé de douleur, un garçonnet se tient le genou à deux mains, assis par terre en bas du pont. Ils reconnaissent Jean Descamps, un gars du quartier un peu plus jeune qu'eux. Sa bicyclette gît sur la berge.

— Oeil-de-lynx, Annie ! appelle le blessé, quelque peu réconforté à la vue des deux copains au haut du talus. Je traversais le pont et j'ai dû trébucher contre un tas de sable ou quelque chose. Je suis passé par-dessus bord. Ouille ! mon genou !

— Je vais chercher de l'aide, propose Oeil-de-lynx à Annie.

— Pas question, rétorque celle-ci en enfourchant sa dix vitesses. Je t'ai battu, tu te rappelles ? Reste ici avec Jean; je vais ramener sa mère.

— Bon, bon, d'accord, sourit Oeil-de-lynx.

Annie s'en va et le jeune détective descend au bord de l'eau.

— Ne bouge pas ton genou, recommande-t-il au blessé. Reste allongé, bien tranquille. Annie est partie chercher du secours. Elle va revenir avec ta mère.

— J'espère que maman ne sera pas en colère, dit Jean d'une voix où perce l'inquiétude.

— Pourquoi le serait-elle ?

— Parce que je devais aller à la répétition de la chorale.

— Un accident est un accident, fait remarquer Oeil-de-lynx en montrant le genou du garçon.

— Oui, mais... reprend Jean avec un haussement d'épaules, maman tient vraiment à ce que j'assiste aux répétitions.

Ils entendent tout à coup un brouhaha. Un groupe d'enfants roulant à vélo vers l'école s'approche du pont à toute vitesse.

Oeil-de-lynx se lève d'un bond.

— Je dois les prévenir d'être prudents en traversant le pont. Il ne faut pas qu'il arrive un autre accident.

Gravissant la berge, il atteint la route et crie :

— Hé ! les gars ! faites attention !

Forts de l'avertissement d'Oeil-de-lynx, les cinq cyclistes traversent le pont avec précaution.

— Je ne sais pas contre quoi Jean a trébuché, remarque l'un d'entre eux, mais moi je ne vois rien.

— Moi non plus, observe Oeil-de-lynx en regardant bien partout. Voilà qui est curieux !

Une fois les jeunes repartis, le détective vérifie le pont en quête d'une roche, d'une branche ou d'un tas de sable. Il ne trouve rien. Bien décidé à éclaircir le mystère, il sort son bloc à dessins et son crayon et, du haut du pont, il reproduit la scène à ses pieds.

— Oeil-de-lynx ! s'écrie le garçon, qu'est-ce que tu fais ?

— J'essaie de comprendre quelque chose, répond Oeil-de-lynx tout en étudiant le lieu de l'accident.

— Ah, bon...

Un instant plus tard, le jeune détective a terminé son croquis et il dévale la berge pour le montrer à Jean.

— Jean, pourquoi ne me dis-tu pas ce qui s'est passé au juste ?

— Je ne sais pas contre quoi Jean a trébuché, dit l'un des enfants, mais moi je ne vois rien.

QU'EST-IL RÉELLEMENT ARRIVÉ AU PONT DE L'ANSE-AU-MOULIN ?

Le secret de la dédicace

Par un après-midi pluvieux, Oeil-de-lynx et Annie s'arrêtent à la librairie Aux vieux bouquins. Dans la boutique faiblement éclairée, des échelles à roulettes se dressent le long des hautes étagères remplies de livres poussiéreux. C'est à sa collection de vieilles bandes dessinées et d'oeuvres rares pour enfants que le magasin doit sa grande popularité.

Juste au-dessus d'un rayon de bandes dessinées, Oeil-de-lynx repère une rangée d'ouvrages de son auteur préféré.

— Mark Twain ! Parfait ! s'exclame-t-il en apportant une échelle qu'il escalade sans attendre. Hé ! Annie ! regarde tous ces livres de Mark Twain !

Annie, cependant, reste indifférente à l'enthousiasme de son ami. Assise par terre, en tailleur, elle est plongée dans les aventures héroïques de trois « super-femmes ».

— Annie ! répète-t-il. Viens ici ! Wow ! Regarde un peu cette vieille édition de *Tom Sawyer.* C'est exactement ce que je veux.

Retirant délicatement son oeuvre favorite de l'étagère, Oeil-de-lynx descend de l'échelle et tout en admirant la couverture de cuir, il s'extasie :

— Il a l'air vraiment vieux !

Annie s'approche enfin en faisant tourner une tresse autour de son doigt.

— Ouais, je parie qu'il est aussi vieux que ta grand-mère.

— Tu veux rire ! Beaucoup plus vieux. Que j'aimerais donc l'acheter. Madame de Pluquebeurre m'a déjà donné deux de ses livres rares. Avec celui-ci, je pourrais commencer une vraie collection.

C'est alors qu'un employé de la librairie arrive discrètement d'une autre pièce. Il porte de petites lunettes rondes à monture métallique et une longue barbe bien fournie sur une peau très pâle.

Il prononce chacune de ses paroles avec précaution, presque en murmurant :

— Bonjour. S'il te plaît, fais attention à ce livre. Il a beaucoup de valeur. Je ne l'ai acquis qu'hier. Le propriétaire du magasin va être très content à son retour de vacances.

— Combien coûte-t-il ? s'informe Oeil-de-lynx, avec un peu d'appréhension.

— J'ai bien peur qu'il soit excessivement dispendieux, répond le libraire avec un léger sourire. Normalement, c'est le patron qui s'occupe des livres rares, mais celui-ci, je l'ai acheté d'un inconnu et il

Les aventures de

TOM SAWYER

1ère édition

À Tom Twain,
Comme tu t'en doutes bien, c'est toi
qui m'as inspiré le personnage de
Tom Sawyer. J'espère que tu aimes lire
les aventures de ton homonyme.
Joyeux Anniversaire —
Affectueusement
Grand Papa Twain

— Ce livre est un cadeau de Mark Twain à son petit-fils, affirme le libraire.

m'a coûté les yeux de la tête. Beaucoup plus cher que d'habitude.

— Mais pourquoi ? s'étonne Annie.

— Je vais vous montrer pourquoi, répond l'homme avec fierté.

Caressant doucement sa barbe, il prend le précieux bouquin des mains d'Oeil-de-lynx puis, avec autant de précaution que s'il s'agissait d'un bébé, il le dépose sur une table.

— Ce livre est un cadeau de Mark Twain à son petit-fils, poursuit-il en soulevant la couverture d'un geste respectueux, et sa valeur inestimable vient de la dédicace, de la main même du célèbre auteur américain.

— C'est super ! s'exclame Annie, très impressionnée. Regarde ça, Oeil-de-lynx.

Sous leurs yeux, apparaît une dédicace manuscrite à l'encre, tracée en lettres pleines de fioritures. Oeil-de-lynx la lit, fronce les sourcils, la relit. Quelque chose le chiffonne. Il a rédigé une dissertation sur Mark Twain à l'école l'année dernière et il a lu de nombreux ouvrages sur lui.

Il comprend tout d'un coup ce qui ne va pas et s'adresse au libraire :

— Je regrette, monsieur, mais vous avez eu tort de débourser autant d'argent pour le livre juste à cause de cette dédicace.

POURQUOI OEIL-DE-LYNX PENSE-T-IL QU'IL NE FALLAIT PAS PAYER AUSSI CHER POUR LE LIVRE ?

Vol à boire debout

— Eh bien, il y a du monde au cinéma les soirs de réduction, fait remarquer Oeil-de-lynx, même quand il pleut.

Blottis sous un vieux parapluie tout déchiré, Oeil-de-lynx et Annie attendent au bout d'une très longue file, pour voir un film intitulé *Aventures en Amazonie.*

— Tout le monde est trempé jusqu'aux os, moi la première, grogne Annie qui sent des gouttes traverser le parapluie d'Oeil-de-lynx pour lui dégouliner dans le cou. Dis donc, pourquoi n'as-tu pas pris le parapluie neuf de ton père au lieu de cette antiquité ?

— Il s'en servait, répond le garçon avec un sourire. De quoi te plains-tu, au moins j'en ai un.

— Ou la moitié d'un, plaisante Annie en regardant, par les trous, le ciel chargé de nuages.

Soudain, quelqu'un arrache le parapluie de la main d'Oeil-de-lynx.

— Excusez-moi, les enfants, lance d'une voix forte une grande femme à côté d'eux, est-ce que je peux m'abriter avec vous ?

Avant que les deux amis ne puissent ouvrir la bouche, elle a déjà soulevé le parapluie à sa hauteur. Et la pluie s'abat de plus belle sur les jeunes détectives.

— Hé ! Madame ! on se fait mouiller en bas, se plaint Annie.

— Oh ! excuse-moi, ma chérie, réplique la femme. Approche-toi de moi et tu seras bien, tu verras.

Oeil-de-lynx se penche un peu et fait une grimace dans le dos de l'inconnue.

— Elle est plutôt bizarre, celle-là, glousse Annie à l'oreille de son ami.

Enfin arrivés au guichet, les deux copains achètent leurs billets et choisissent de très bonnes places au milieu de la troisième rangée.

— C'est l'endroit idéal, commente Oeil-de-lynx en essuyant ses lunettes. D'ici, on a l'impression que l'écran va vraiment nous tomber dessus.

Les deux amis sont tellement captivés par le film qu'ils grignotent à peine leur maïs soufflé. Et lorsque les lumières se rallument, ils se retrouvent assis sur le bord de leur siège.

— Quel film excellent ! observe Oeil-de-lynx. Vraiment excellent !

— Ouais, super bon, approuve Annie en engouffrant une grosse poignée de maïs soufflé. La meilleure scène, c'était celle dans les sables mouvants. Jamais j'aurais pensé que ce type-là pouvait s'en tirer.

Oeil-de-lynx reprend le parapluie de son père et ils sortent du cinéma.

— Non mais tu te rends compte ! s'écrie Oeil-de-lynx en ouvrant son parapluie. Il pleut encore à torrents.

La grande femme les rejoint.

— Qu'est-ce que vous en dites, les enfants ? demande-t-elle en s'emparant de nouveau du parapluie du jeune garçon. J'adore les films qui se passent dans la jungle, pas vous ? Et l'Afrique est une région tellement fascinante.

Oeil-de-lynx et Annie échangent un regard moqueur.

Sur ces entrefaites, le sergent Duflair paraît au bout de la rue.

— Mademoiselle Malo ! interpelle-t-il. Je suis content de vous trouver. Votre voisine m'a dit que vous seriez ici. J'ai bien peur de devoir vous annoncer une mauvaise nouvelle. Allons nous abriter sous cet auvent.

— Que se passe-t-il, Sergent ? demande la femme qui rend son parapluie à Oeil-de-lynx et enfouit ses mains dans les poches de son imperméable.

— Salut, Sergent ! disent en choeur Oeil-de-lynx et Annie. Qu'est-ce qui arrive ?

— Salut Oeil-de-lynx, salut Annie. Eh bien, annonce-t-il à la femme, il y a eu un cambriolage. Il semble qu'on se soit introduit chez vous par effraction.

— Ohhh non ! Et l'alarme n'a pas sonné ? Est-ce qu'on a volé quelque chose ? s'enquiert mademoiselle Malo en retirant son chapeau de pluie pour mieux entendre.

— C'est-à-dire que..., hésite le policier. Si vous aviez des objets de valeur dans le coffre-fort situé dans le mur du salon, il n'en reste plus rien. L'alarme s'est déclenchée, mais le voleur a réussi à s'enfuir quand même.

— Les bijoux de ma mère se trouvaient dans ce coffre-fort, se lamente mademoiselle Malo. Oh non !

— Est-ce qu'ils étaient assurés ? demande Oeil-de-lynx. Ça pourrait vous aider.

— Je ne sais pas, répond mademoiselle Malo en s'essuyant les yeux. Non, je ne crois pas. Quelle catastrophe ! Mes demi-soeurs réclament ces bijoux; elles me poursuivent même en justice pour tenter de les obtenir. Ce vol va encore compliquer la situation.

— Ces demi-soeurs feraient d'excellentes suspectes, Sergent, observe Annie.

— Peut-être bien. D'ailleurs, une voisine m'a dit qu'elle avait vu une femme pénétrer dans la maison il y a environ une heure.

Le sergent Duflair s'adresse à mademoiselle Malo :

— Strictement à titre d'information, ce n'était pas vous, n'est-ce pas ?

— Moi ? s'offusque-t-elle. Bien sûr que non. Pourquoi irais-je cambrioler ma propre maison ? Et d'ailleurs, j'étais au cinéma à ce moment-là. Vous n'avez qu'à demander à ces deux jeunes.

— Oui, c'est vrai, elle était ici, témoigne Annie avec un hochement de tête.

— Annie, interrompt soudain Oeil-de-lynx en faisant claquer ses doigts, j'ai oublié ma carte de réduction dans le cinéma. Viens m'aider à la chercher avant la prochaine représentation, ajoute-t-il en entraînant son amie à toute vitesse.

— Je vais faire un croquis de cette femme telle qu'elle nous est apparue la première fois qu'elle nous a parlé, dit Oeil-de-lynx.

— Quoi ? Ah, oui, bien sûr, fait Annie, éberluée.

Dès qu'ils ont tourné le coin, Oeil-de-lynx s'arrête et sort son bloc à dessins et son crayon.

— Je n'ai pas perdu ma carte, Annie. Ce n'était qu'un prétexte. Je crois que mademoiselle Malo en sait plus long sur ce vol qu'elle ne veut bien l'admettre. Mon calepin est un peu mouillé mais je veux faire un croquis de cette femme telle qu'elle nous est apparue la première fois qu'elle nous a parlé.

POURQUOI OEIL-DE-LYNX SOUPÇONNE-T-IL MADEMOISELLE MALO D'EN SAVOIR PLUS LONG SUR LE VOL ?

Le mystérieuse disparition d'Annie

Par un vendredi d'automne, veille de son anniversaire, Oeil-de-lynx, assis sur le bord de son lit, essaie de maîtriser un jeu vidéo portatif à manette miniature. À force de pratique, il parvient presque à battre la machine.

Complètement absorbé par le jeu, il ne remarque pas que la nuit est tombée et il se trouve bientôt plongé dans une obscurité totale. Soudain, un clignotement attire son attention. Une fois, deux fois, trois fois, pause, une fois, deux fois, trois fois. Venant de la maison d'Annie, il s'agit d'un signal d'appel convenu entre les deux détectives quand il se trame quelque chose d'important.

Il se lève donc d'un bond, avertit ses parents qu'il se rend chez son amie et se précipite dehors.

Il n'a pas encore enfilé la deuxième manche de sa veste de soccer qu'il arrive sous la fenêtre d'Annie. Il ramasse quelques cailloux qu'il lance contre la vitre. Deux cailloux plus tard, la petite soeur d'Annie ouvre la fenêtre.

— Lucie, où est Annie ?

Lucie, une fillette de six ans à qui il manque encore les dents de devant et qui a du fil à retordre avec les « s », répond avec un haussement d'épaules.

— Annie ? J'en *f*ais rien. Elle vient de partir.

— Comment ça, elle vient de partir ? Elle vient juste de me faire signe de venir. J'ai cru que nous aurions une nouvelle affaire à régler.

— *F*a me dépa*ff*e. Je l'ai vue dans le *f*alon tout à l'heure. Elle est venue me dire qu'il y avait un gros problème et elle *f*'est envolée. Tu devrais peut-être la chercher.

Oeil-de-lynx n'y comprend vraiment rien. Il se gratte la tête et demande :

— Elle n'a rien dit d'autre ?

— Ah *f*i, heu... elle a dit... heu... regarde en premier horizontalement et en dernier verticalement.

— Quoi ? Que je regarde en premier horizontalement et en dernier verticalement ? Qu'est-ce que c'est que cette histoire ? Pourquoi m'a-t-elle fait signe de venir pour se sauver avant que j'arrive ? Lucie, est-ce que je peux entrer ? Je trouverai peut-être un indice dans le salon.

— D'accord, Oeil-de-lynx, attends, je viens t'ouvrir.

Et Lucie referme la fenêtre, non sans effort.

Un instant plus tard, le jeune détective suit la

fillette dans la maison. Bloc-notes et crayon en mains, il commence à explorer le salon.

— Voilà qui est vraiment bizarre, observe-t-il. Je ne vois rien.

— Et pourtant, elle était ifi. On devrait continuer à chercher. Je parie qu'on va trouver quelque chose.

Ils fouillent sous le canapé, sous la table et même sous la chaise berçante. Oeil-de-lynx essaie de dénicher un livre, une adresse, un numéro de téléphone, enfin tout indice qui pourrait le mettre sur la piste d'Annie. En vain.

— Mais bon sang, où peut-elle bien être ? Je commence à m'inquiéter. Je suppose qu'il ne nous reste plus qu'à attendre un coup de téléphone. J'espère qu'elle n'est pas en danger.

Après avoir réfléchi un moment et joué négligemment avec sa tresse, Lucie insinue :

— Hé, Oeil-de-lynx, et les mots croisés qu'Annie était en train de faire ?

Elle prend un bloc sur lequel se trouvent des mots croisés maison et les montre à Oeil-de-lynx. D'abord perplexe, il comprend tout à coup où se trouve Annie et il arbore un grand sourire.

— J'ai compris ! s'exclame-t-il en sortant en trombe. Lucie, je te verrai plus tard. Merci pour ton aide. Je risque peut-être une punition, mais une affaire est une affaire, et une amie, une amie.

— Et moi ? crie la fillette en courant derrière un Oeil-de-lynx qui ne l'entend pas. En tout cas, fa t'a pris au moins afez longtemps pour comprendre, ajoute-t-elle en marmonnant.

En deux temps trois mouvements, Oeil-de-lynx traverse la rue, saute sur sa dix vitesses et disparaît dans la nuit.

HORIZONTALEMENT

1. ______ à glace
2. jolie
3. très petits
4. où on étudie
5. coiffure militaire
6. lavabo
7. la terre l'est
8. chien de Tintin
9. métal précieux — femelle du canard
10. sort de la cheminée
11. il bat
12. bouche d'un oiseau
13. personnage gaulois
14. habillé(e)s

VERTICALEMENT

1.
2. ville de l'Alberta — ______ exemple
3. on le lit — chemin
4. ______ Noël
5.
6.
7. repas
8.
9. refus
10. copine
11. moyen de transport
12. partie du corps
13. brisée
14. petites roues

— Hé, Oeil-de-lynx, et les mots croisés qu'Annie était en train de faire ? insinue Lucie.

OÙ OEIL-DE-LYNX S'EN VA-T-IL ?

Alerte aux vandales

Les deux jeunes détectives traversent la campagne à fond de train dans la superbe décapotable rouge toute brillante de l'oncle d'Annie, qui est au volant.

— Cette voiture est extra, constate Oeil-de-lynx, assis sur le siège arrière avec sa chienne dont les oreilles volent au vent. Tu aimes ça, hein, La Fouine ?

— Et moi j'adore ça, réplique Annie, les cheveux tout ébouriffés. Oncle Richard, c'est gentil de nous emmener à la pêche. J'adore aller à ton chalet.

— Tout le plaisir est pour moi, assure le conducteur.

L'oncle Richard est un homme barbu qui frise la trentaine. Rédacteur pour un magazine de sports et de loisirs, il passe toutes ses fins de semaine au grand air.

— Quel dommage, dit Oeil-de-lynx, que le sergent n'ait pas pu venir avec nous à cause des papiers qu'il doit encore remplir au sujet du vol de bijoux chez madame de Pluquebeurre. C'est un bon pêcheur malgré sa gaucherie.

— Pour ça oui, approuve Annie, il abîme toujours son matériel. Hé ! as-tu vu la grosseur de ces appâts, ajoute-t-elle en prenant une boîte de vers.

La décapotable file le long des champs de maïs, franchit une région vallonnée parsemée de lacs, pénètre ensuite dans une forêt très dense dont les arbres forment tunnel. Après plus d'une heure, l'oncle Richard quitte enfin la route principale pour s'engager dans un chemin de terre.

— Voilà le chalet ! s'écrie Annie en apercevant la petite maison devant eux. Et le lac ! Voyez comme il est bleu !

— Mais que s'est-il passé ? s'alarme l'oncle Richard dans un froncement de sourcils. On dirait que quelqu'un est venu.

— Mais c'est vrai, constate Oeil-de-lynx en se redressant.

Plus ils s'approchent, plus ils remarquent les traces laissées par le ou les intrus : une vitre brisée, la porte entrouverte, les ordures éparpillées dans tout le jardin.

Frappé de stupeur, l'oncle Richard arrête la voiture, les yeux rivés sur le triste spectacle qui s'offre à lui.

— Regardez-moi cette pagaille. Quelle horreur !

Suivie d'Oeil-de-lynx et de La Fouine, Annie saute de la voiture et fulmine :

— Quels voyous ont pu faire une chose pareille ?

— Des vrais salauds, en tout cas, répond Oeil-de-lynx.

— Tu peux le dire. Je savais bien que le sergent aurait dû venir.

— En effet, il vaut sans doute mieux appeler la police, dit l'oncle Richard, la mort dans l'âme.

La Fouine s'élance dans les bois et Oeil-de-lynx sort son calepin et son crayon.

— Oui mais, en attendant, nous allons mener notre propre petite enquête, dit-il. Viens Annie, examinons ça de plus près. Ces goujats ont laissé des indices partout.

— C'est vrai, j'en remarque déjà quelques-uns.

Pendant que l'oncle Richard entre téléphoner à la police, Oeil-de-lynx s'assoit sur une souche et se met à dessiner. Annie arpente les lieux et lui énumère les détails au fur et à mesure pour qu'il n'oublie rien.

— Hé, Oeil-de-lynx ! Regarde ce morceau de papier à moitié brûlé, dit-elle en désignant du doigt le sol près du feu de camp. Et ça... Et ça... et...

À peine le croquis est-il terminé que l'oncle Richard revient.

— Nous avons découvert pas mal de choses, annonce Annie en le lui tendant.

— Je comprends ! répond-il, les yeux écarquillés d'étonnement. Ça va drôlement aider la police.

— Nous avons repéré de nombreux indices, ajoute Oeil-de-lynx. Nous en savons déjà pas mal sur les individus qui sont venus ici et je crois même que nous pourrons les retrouver.

— Ces goujats ont laissé des indices partout, dit Oeil-de-lynx.

QUELS INDICES OEIL-DE-LYNX ET ANNIE ONT-ILS DÉCOUVERTS, ET COMMENT PENSENT-ILS POUVOIR RETROUVER LES VANDALES ?

DÉTECTIVE - CLUB ™

LE SECRET DU trésor ancien

TROISIÈME ÉPISODE
LE MESSAGE MYSTÉRIEUX

Résumé des deux premiers épisodes

En cherchant des fossiles dans les cavernes de l'Anse-au-Moulin, Oeil-de-lynx et Annie découvrent un vieux coffre de métal enterré dans une des grottes souterraines. Il contient un plan jauni et tout effrité menant clairement au domaine de Pluquebeurre, et sur lequel sont inscrits, en code, des lettres et des chiffres mystérieux. Annie réussit à déchiffrer le message, qui les guide à la troisième stalle de la vieille écurie de Pluquebeurre.

Madame de Pluquebeurre devine que le plan est relié au vol, commis quatre-vingts ans auparavant, d'une collection inestimable de pierres précieuses et de statuettes égyptiennes appartenant à son grand-père. En compagnie des deux détectives, elle se rend donc fouiller la stalle à la recherche d'un indice qui les conduirait au trésor.

À la fin du deuxième épisode, intitulé *La pièce secrète,* Oeil-de-lynx remarque, sur le dessin de la stalle qu'il vient d'esquisser, un objet tout à fait déplacé dans ce décor.

— Hé, je vois quelque chose, annonce Oeil-de-lynx, et je gage que ce quelque chose est l'indice que nous cherchons.

Le message mystérieux

— Hé, vous autres, je pense que j'ai trouvé quelque chose, moi aussi, annonce Annie en sondant le plancher du pied.

Mais dans son énervement, Oeil-de-lynx ne l'entend pas.

— Madame de Pluquebeurre, demande-t-il, voyez la bougie juste au-dessus de votre tête : pouvez-vous m'expliquer ce qu'elle fait là ?

— Ceci ? dit madame de Pluquebeurre en y posant la main. Je n'en sais rien. Quelle idée saugrenue d'accrocher une bougie dans un endroit rempli de paille ! Grands dieux ! cette stalle devait être un vrai nique-à-feu !

— Hé, vous autres, répète Annie, qui tape toujours du pied sur le plancher...

Machinalement, madame de Pluquebeurre se met à jouer avec le bougeoir.

— ...j'ai comme l'impression qu'il n'y a rien juste en dessous de moi...

À cet instant précis, le bougeoir tourne d'un quart de tour sous la main de madame de Pluquebeurre et un grincement strident se fait entendre.

— Au secours ! hurle Annie, au secours !

— Voulez-vous bien me dire ? s'affole madame de Pluquebeurre en se retournant d'un coup sec.

— Elle a disparu ! s'exclame Oeil-de-lynx, le souffle coupé.

À l'endroit même où Annie se trouvait il y a à peine quelques secondes bée un grand trou. Le plancher s'est ouvert quand madame de Pluquebeurre a tourné le bougeoir.

— C'est une trappe ! conclut Oeil-de-lynx, doigt pointé.

En proie à une vive agitation, Madame de Pluquebeurre se porte la main à la bouche.

— Mon Dieu, mon Dieu ! Annie, ma chérie, ça va ? s'énerve-t-elle en se précipitant au bord de la trappe avec Oeil-de-lynx.

Leurs yeux scrutant le trou, ils aperçoivent Annie, affalée sur un tas de foin, qui branle la tête de gauche à droite.

— Annie, es-tu blessée ? appelle le garçon, inquiet de la réponse qu'il va recevoir.

Renversant la tête, elle lève les yeux vers ses compagnons. D'une voix légèrement chevrotante, elle dit :

— Hé, quelle affaire...

Un sourire se dessine peu à peu sur son visage.

— Qu'est-ce qui m'est donc arrivé ? Le plancher s'est dérobé sous mes pieds.

Soulagés, les deux autres se mettent à rire.

— Tu es tombée d'un bon trois mètres, dit madame de Pluquebeurre.

— J'en reviens pas, s'exclame Oeil-de-lynx en se penchant prudemment au-dessus de l'ouverture. Annie, la trappe s'est ouverte au moment où madame de Pluquebeurre a tourné le bougeoir; ce doit être le levier qui actionne une espèce de mécanisme secret.

— Eh bien, grâce à tout ce foin, j'ai fait un atterrissage en douceur, explique Annie.

— Passe-lui donc la lampe de poche pour qu'elle puisse jeter un coup d'oeil, suggère madame de Pluquebeurre à Oeil-de-lynx.

Aussitôt dit, aussitôt fait.

— Vois-tu quelque chose ? demande le jeune détective à son amie.

Assise sur son tas de foin, Annie promène le rayon par toute la pièce.

— Eh bien, non ! Rien. Hé, mais il y a un tunnel qui part d'ici et... oui ! Vite ! Oeil-de-lynx, madame de Pluquebeurre, descendez, je vois des objets en or.

Les deux autres n'en reviennent pas. Échangeant un regard, ils se précipitent hors de la stalle et reviennent bientôt avec une échelle.

— J'ai peine à y croire, s'écrie madame de Pluquebeurre dont les yeux brillent d'excitation. Remettre la main sur le trésor égyptien de grand-papa. N'est-ce pas passionnant ! N'est-ce pas super ! Dis-moi, Oeil-de-lynx, est-ce que toutes les affaires auxquelles tu travailles sont aussi amusantes ?

— Eh bien... en quelque sorte, oui, mais pas vraiment.

Ensemble, ils viennent à bout de lever l'échelle pour ensuite la glisser dans la trappe, jusqu'à ce qu'elle touche le sol de la pièce secrète.

— À vous l'honneur, dit Oeil-de-lynx à sa compagne aux cheveux gris. Je vais vous tenir l'échelle.

Il faut voir madame Pluquebeurre, le visage rosi par l'émotion, réunir les plis de son sari d'une main, soulever le tout et s'engager dans l'ouverture. Annie la guide de sa lampe puis lui tend la main pour les quelques derniers barreaux. Toutes les deux maintiennent ensuite solidement l'échelle pour permettre à Oeil-de-lynx de descendre à son tour. Ce dernier se laisse pratiquement glisser jusqu'en bas.

Madame de Pluquebeurre regarde tout autour avec étonnement.

— J'ai toujours pensé qu'il nous fallait une pièce secrète dans le domaine, remarque-t-elle.

— Eh bien, vous l'avez, réplique Annie, et elle s'ouvre sur un passage secret, par-dessus le marché.

— Impressionnant ! commente Oeil-de-lynx.

Ils se trouvent dans une pièce de quelque trois mètres sur trois mètres et demi, donc pas très grande, envahie par une épaisse poussière qui recouvre absolument tout.

— Je gage, ma foi, que personne n'a mis les pieds dans cette pièce depuis que le docteur T. a dérobé la collection de grand-papa. Déjà presque quatre-vingts ans de cela, vous vous rendez compte ?

— Annie, où sont les objets dont tu parlais ? demande Oeil-de-lynx.

— Là-bas, répond-elle en braquant son rayon sur une tablette.

Le miroitement de l'or transperçant sous la poussière laisse le trio sans voix, l'espace d'un moment. Le trésor volé, le voilà retrouvé, du moins en partie !

— Pour tout vous avouer, réussit à dire Oeil-de-lynx d'une voix mal assurée, je ne crois pas qu'Annie et moi ayons eu une affaire aussi palpitante à régler depuis belle lurette.

— Depuis très belle lurette ! renchérit Annie en détachant chaque syllabe.

Un peu comme s'il s'agissait de choses interdites, madame de Pluquebeurre tend une main hésitante vers les objets en or, colliers, boucles d'oreille et statuettes miniatures, admirant leur chaude couleur d'ambre.

— Hé, regardez ! indique Oeil-de-lynx.

Derrière le trésor se trouve un petit panneau couvert de dessins.

— Mais... s'exclame Annie, c'est un... un quoi donc déjà ? Je l'ai, c'est un rébus ! Vous savez, un message codé à l'aide d'images.

Les yeux plissés à travers ses lunettes pour mieux scruter le panneau, madame de Pluquebeurre confirme :

— Ma parole, tu as raison, Annie. C'est exactement ça ! Et comme je suis certaine que ce que nous avons ici ne représente qu'une faible partie des objets volés, je me demande si...

— ...si le rébus nous dira où le reste du trésor égyptien a été caché ! termine Oeil-de-lynx.

Serrant le poing, un éclat de colère dans les yeux, la dame reprend :

— Ce rébus était peut-être un autre message du docteur T. à Jesse Carter. Peut-être étaient-ils vraiment de mèche tous les deux. Voyant qu'il ne pouvait pas s'emparer lui-même du trésor, il a sans doute cru qu'un voleur professionnel comme Jesse Carter réussirait.

— Et peut-être ce dernier a-t-il été arrêté avant de venir le prendre, suppose Annie.

— Peut-être le rébus nous dira-t-il où le reste du trésor égyptien a été caché ! dit Oeil-de-lynx.

Indiquant le long passage étroit, Oeil-de-lynx conclut :

— Ce qui peut vouloir dire que le reste du trésor se trouve quelque part par là.

S'approchant du panneau, Annie le dépoussière de son mieux.

— Allons, dit-elle, il faut déchiffrer ce rébus.

— Eh bien, voyons voir, commence madame de Pluquebeurre en jouant avec une de ses boucles d'oreilles. *Pour,* ça, c'est facile. Le deuxième indice, c'est *un dé.*

— Et voyez, là, *un bateau,* poursuit Oeil-de-lynx.

Pendant ce temps, Annie travaille à déchiffrer le message sans s'occuper des autres. Promenant son doigt d'une image à l'autre, elle forme une phrase dans sa tête.

— Attendez, s'écrie-t-elle triomphalement. Je l'ai ! Je comprends le rébus. Et je sais où nous devons aller.

QUE DIT LE RÉBUS ?

La solution de cette énigme et le dénouement du « Secret du trésor ancien » se trouvent dans le volume 4 de la série Détective - club, intitulé « La mystérieuse affaire du chien kidnappé ».

SOLUTIONS

L'enlèvement au camp d'informatique

— Les ravisseurs gardent Paul au Motel Perdu dans la chambre sept, déclare Oeil-de-lynx.

En effet, il a remarqué que certaines lettres du texte sont écrites en majuscules et forment un message codé.

Les policiers arrivent au camp en moins de deux. Suivant les instructions du jeune détective, ils se rendent au Motel Perdu où ils retrouvent Paul sain et sauf et arrêtent les ravisseurs.

— Mes kidnappeurs me surveillaient de près en me dictant le message, raconte Paul. Mais comme mon père est un spécialiste des codes secrets, je m'en suis inventé un pendant que j'écrivais.

Le camp se révèle encore plus intéressant que se l'étaient imaginé Oeil-de-lynx et Paul. Quant aux ravisseurs, eh bien, poursuivis par le père d'Oeil-de-lynx, ils sont trouvés coupables et condamnés à une longue peine de prison.

Le chipeur de tomates

— Annie, dit Oeil-de-lynx en lui montrant son dessin, ce gars affirme qu'il n'aime pas les tomates. Il prétend même qu'il y est allergique. Mais dans ce cas, comment peut-il manger son hot-dog avec du ketchup ?

— Du ketchup ? s'étonne la jeune fille.

— Oui, il y en avait une grande bouteille prés de son assiette. Et du ketchup, c'est de la purée de tomate presque pure.

Annie arrache le croquis des mains de son ami.

— Tu as raison. Bravo, Oeil-de-lynx. Grâce à toi, je pourrai continuer de manger mes sandwiches préférés tous les midis !

SOLUTION

SOLUTIONS À LIRE DANS LE MIROIR

Le mystère du sauveteur inconnu

Seuls les employés de la bibliothèque connaissaient suffisamment les lieux pour être en mesure de guider madame de Pluquebeurre. Elle a parlé à plusieurs d'entre eux, mais celui ou celle qui l'a secourue devait se trouver non loin d'elle au sous-sol.

— La seule personne qui a pu vous aider, conclut Oeil-de-lynx, est celle qui pouvait trouver son chemin dans l'immeuble les yeux fermés. Et c'est donc la préposée aux renseignements.

— Mais oui, Oeil-de-lynx, tu as raison ! s'écrie Annie. Elle connaît la bibliothèque de long en large et se souvient de tous les détails de mémoire puisqu'elle est aveugle. Qu'il y ait de la lumiére ou non, c'est la même chose pour elle.

Eh oui, Oeil-de-lynx a raison. Madame de Pluquebeurre envoie sur-le-champ une lettre de remerciement à la personne en question. Dés le lendemain, les deux jeunes détectives et les deux femmes se réunissent pour un « petit » dîner, com-

posé de seize plats, pendant que Précieux et Pru-
nelle, la chienne d'aveugle, s'ébattent sur la pelouse du domaine Pluquebeurre.

SOLUTION

Jeux vidéo en contrebande

C'est grâce à son esprit d'observation qu'Oeil-de-lynx découvre les deux voleurs.

En effet, il remarque que le suspect X du cliché a un nez crochu. En examinant le dessin qu'il a fait du suspect numéro 3, il note que l'homme n'a pas le nez crochu même si, à d'autres points de vue, il ressemble au suspect X. Le suspect numéro 1, par contre, a bien un nez crochu : en y regardant de plus près, le jeune détective se rend compte qu'il s'agit bel et bien du suspect X, qui a enlevé ses lunettes, s'est rasé la barbe et coupé les cheveux.

Oeil-de-lynx analyse ensuite en détail le suspect Y et il constate qu'il a un visage rond tout comme le suspect numéro 5. Il conclut qu'il a affaire au même homme qui s'est rasé la tête et a mis des lunettes.

Le jeune garçon montre ensuite du doigt l'autocollant sur la mallette du suspect numéro 5.

— Annie, je parie que cet autocollant recouvre un compartiment secret contenant la disquette du jeu vidéo.

En scrutant les dessins, Annie note aussi ce détail.

— Tu as raison, Oeil-de-lynx, c'est la mallette que portait le suspect X la première fois. Sans s'en rendre compte, ils ont replacé l'autocollant dans une position différente après avoir inséré notre disquette dans le compartiment.

Le sergent Duflair arrête les deux suspects et trouve la disquette dissimulée sous l'autocollant. Aprés l'avoir récupérée, les membres du Club d'informatique décident de la vendre et achétent avec cet argent deux nouveaux ordinateurs pour l'école.

SOLUTION

SOLUTIONS À LIRE DANS LE MIROIR

L'accident au pont de l'Anse-au-Moulin

Jean prétend avoir trébuché contre un obstacle et être tombé du pont en se rendant à la répétition de la chorale.

— Allons, Jean, dit Oeil-de-lynx, si c'est réellement ce qui est arrivé, comment se fait-il que tu aies atterri ici près de la rivière et que ta bicyclette soit restée en haut sur la berge.

— Ah, zut ! grommelle le garçonnet, qui avoue alors avoir simulé cet accident pour ne pas aller à la répétition.

— Voyons, Jean, tu as réussi à te dispenser de répétition aujourd'hui, mais tu ne le pourras pas demain, ni les jours suivants. Pourquoi n'es-tu pas franc avec ta mère et ne lui confies-tu pas tout simplement que tu préférerais participer à une autre activité parascolaire ?

— C'est vrai, tu as sûrement raison. Je ne lui ai jamais dit à quel point j'ai envie d'apprendre à jouer les instruments de percussion.

Dès la semaine suivante, Jean commence à suivre des cours; et quelques semaines plus tard, à l'occasion de son anniversaire, ses parents lui achètent une batterie.

SOLUTION

SOLUTIONS À LIRE DANS LE MIROIR

Le secret de la dédicace

Oeil-de-lynx sait que la dédicace est un faux. Il est exact que Mark Twain a écrit de nombreux ouvrages merveilleux, mais il s'agit d'un pseudonyme. Son vrai nom est Samuel Clemens.

— Je ne sais pas comment s'appelait le petit-fils de Mark Twain, déclare Oeil-de-lynx, ni même s'il en avait un, mais je suis sûr qu'il ne s'appelait pas Tom Twain. Son nom devait être Clemens ou autre chose. Le fait d'avoir signé « Grand-papa Twain » m'apparaît aussi un peu bizarre.

Retirant ses lunettes, le libraire se prend la tête à deux mains et gémit :

— Oh non ! Quand je pense au prix que j'ai payé ce livre. Bien sûr que c'est un faux ! Que je suis stupide ! Le propriétaire du magasin va être furieux contre moi.

Se confondant en excuses, il propose à Oeil-de-lynx de lui vendre le volume à prix beaucoup plus raisonnable. Le jeune détective offre au libraire de mener d'abord une enquête avec Annie pour essayer de retrouver l'escroc qui a dupé ainsi la librairie Aux vieux bouquins.

SOLUTION

SOLUTIONS À LIRE DANS LE MIROIR

Vol à boire debout

Si Oeil-de-lynx soupçonne mademoiselle Malo d'en savoir un peu plus long sur cette affaire, c'est qu'elle porte, après la séance de cinéma, des vêtements différents de ceux qu'elle avait auparavant.

Avant le film, elle portait une robe, une veste, des chaussures de marche et un foulard. Mais voilà qu'après le film, on la retrouve vêtue d'un imperméable, chaussée de bottes et coiffée d'un chapeau.

— Ce qui m'a mis la puce à l'oreille, explique Oeil-de-lynx, c'est quand elle nous a dit qu'elle trouvait les films sur le jungle africaine fascinants. Mais l'histoire se passait en Amazonie, qui se trouve en Amérique du Sud, pas en Afrique.

— Mais oui, tu as raison. Mademoiselle Malo a dû s'esquiver par la sortie de secours au début de la représentation. Elle est allée chez elle, a cambriolé son propre coffre-fort et nous a rejoints à la sortie du cinéma. La seule erreur qu'elle a commise, c'est d'avoir changé de vêtements à cause de la pluie.

Lorsqu'un peu plus tard, le sergent Duflair confronte mademoiselle Malo avec la théorie d'Oeil-de-lynx, celle-ci avoue avoir volé les bijoux de sa famille.

— Je n'aurais pas accusé mes demi-soeurs, se défend-elle, et je n'aurais pas non plus essayé de

SOLUTION

SOLUTIONS À LIRE DANS LE MIROIR

soutirer de l'argent de l'assurance, mais je ne voulais pas me séparer de ces bijoux.

Le sergent Duflair admoneste sévèrement la coupable :

— Vous savez, Mademoiselle, il est très délicat de vouloir rendre la justice soi-même.

— Je ne referai plus jamais la même erreur, promet-elle.

Après quoi, pour se récompenser, le sergent et les deux jeunes détectives s'offrent une pizza au restaurant du coin.

SOLUTION

SOLUTIONS À LIRE DANS LE MIROIR

La mystérieuse disparition d'Annie

Oeil-de-lynx se rend là où les instructions d'Annie le conduisent.

En jetant un coup d'oeil sur les mots croisés, il a fait ce que lui a demandé son amie, soit de « regarder en premier horizontalement et en dernier verticalement ».

Oeil-de-lynx a remarqué que le premier mot horizontalement était « patin » et le dernier mot verticalement « roulettes ». Il a déduit de ces indices qu'elle était au Roulodrome de Coteau-des-Bois.

Pédalant à fond de train, il atteint l'établissement en moins de deux et fonce à l'intérieur. Chose étrange, il fait noir comme dans un four. Soudain, toutes les lumières s'allument en même temps et Oeil-de-lynx, abasourdi, découvre tous ses amis qui s'écrient d'une seule voix en tapant des mains :

— Surprise ! Joyeux anniversaire !

Quelques minutes plus tard, Lucie et les parents d'Oeil-de-lynx arrivent à leur tour avec une boîte remplie de cadeaux et un énorme gâteau de fête.

— J'ai été pas mal bonne, hein, Oeil-de-lynx ? se félicite Lucie, toute fière. Tu n'as pas deviné que j'étais supposée t'envoyer ici ? Annie avait raison : on a quand même réussi à te jouer un tour !

SOLUTION

SOLUTIONS À LIRE DANS LE MIROIR

Alerte aux vandales

Oeil-de-lynx et Annie concluent que les vandales ont dû venir avec deux motocyclettes, car les traces de pneus ne sont pas toujours parallèles. Et ils ont dû passer le matin même, car ils ont laissé le journal du samedi. Ils se sont introduits dans le chalet en cassant une vitre et en allongeant le bras pour déverrouiller de l'intérieur.

De plus, c'est bien évident qu'ils ont fait du feu et mangé des hot-dogs, des croustilles et de la pastèque. En comptant les assiettes sur la table de pique-nique, les détectives déduisent que les vandales étaient au nombre de trois.

La facture à moitié brûlée du garage Paulo constitue cependant l'indice le plus révélateur. En interrogeant les employés du garage, la police apprend qu'un certain Alain Lande a amené sa motocyclette à réparer la veille, soit le vendredi. Ses empreintes correspondent à celles trouvées dans le chalet.

Deux jours plus tard, Lande, sa petite amie et un autre individu sont arrêtés et accusés d'être entrés par effraction dans le chalet.

Sondage

Ami lecteur, amie lectrice,

Nous aimerions que tu nous dises ce que tu penses de ce livre afin de nous aider à produire d'autres récits de mystères. Après l'avoir lu, pourrais-tu prendre une feuille et répondre aux questions ci-dessous (n'oublie pas de numéroter tes réponses). S'il te plaît, n'écris pas dans le livre. Envoie ta feuille de réponses à l'adresse suivante:

LES ÉDITIONS HÉRITAGE/DÉTECTIVE-CLUB
300, rue ARRAN
SAINT-LAMBERT (QUÉBEC)
J4R 1K5

Nous te remercions beaucoup pour tes réponses; elles vont nous être d'une grande utilité.

1. Quel est le numéro de volume de ce livre ? (Regarde sur la page couverture).

2. Comment as-tu obtenu ce livre ? (Lis d'abord toutes les réponses puis choisis celle qui convient et écris la lettre correspondante sur ta feuille).
   2A. En cadeau.
   2B. D'une librairie.
   2C. D'un autre magasin.
   2D. D'une bibliothèque scolaire.
   2E. D'une bibliothèque publique.
   2F. Je l'ai emprunté d'un(e) ami(e).
   2G. D'une autre façon (comment ?).

3. Si tu as choisi ce livre toi-même, pourquoi l'as-tu choisi ? (Lis attentivement toutes les réponses, puis choisis celle que tu préfères et écris-la sur ta feuille).
   3A. J'aime les histoires à suspense.
   3B. La couverture était attrayante.
   3C. Le titre a attiré mon attention.
   3D. J'aime résoudre des énigmes.
   3E. Un(e) bibliothécaire m'a suggéré de le lire.
   3F. Un professeur me l'a recommandé.
   3G. Un(e) de mes ami(e)s l'avait aimé.
   3H. Les indices illustrés avaient l'air intéressants.
   3I. Oeil-de-lynx et Annie m'ont paru sympathiques.
   3J. Autre raison (laquelle ?).

4. As-tu aimé le livre ? (Écris le numéro de ton choix sur ta feuille).
   4A. Beaucoup aimé. 4B. Aimé. 4C. Incertain(e). 4D. Pas aimé.

5. As-tu aimé les indices illustrés ? (Écris le numéro de ton choix sur ta feuille).
   5A. Beaucoup aimé. 5B. Aimé. 5C. Incertain(e). 5D. Pas aimé.

6. Quelle histoire as-tu préférée ? Pourquoi ?

7. Quelle histoire as-tu le moins aimée ? Pourquoi ?

8. Si on t'invitait à modifier ce livre, quels changements suggérerais-tu ?

9. Aimerais-tu lire d'autres histoires avec Oeil-de-lynx et Annie ?

10. Aimerais-tu lire des histoires avec Oeil-de-lynx seulement ?

11. Aimerais-tu lire des histoires avec Annie seulement ?

12. Que préférerais-tu ? (Lis attentivement toutes les réponses, puis choisis celle qui correspond à ton choix et écris la lettre appropriée sur ta feuille).
    12A. Une longue histoire avec de nombreux indices illustrés.
    12B. Une longue histoire avec un seul indice illustré à la fin.
    12C. Une longue histoire sans indice illustré.
    12D. Un nécessaire de détective avec de vrais indices.
    12E. Un jeu vidéo de détective.
    12F. Un dessin animé de détective.
    12G. Une bande dessinée de détective.

13. Quel est ton personnage préféré dans le livre ? Pourquoi ?

14. Les énigmes sont-elles faciles ou difficiles à résoudre ? (Écris le numéro de ton choix sur ta feuille).
    14A. Trop faciles. 14B. Juste bien. 14C. Trop difficiles.

15. Le livre est-il facile ou difficile à lire et à comprendre ? (Écris le numéro de ton choix sur ta feuille).
    15A. Trop facile. 15B. Juste bien. 15C. Trop difficile.

16. As-tu déjà lu d'autres livres de la collection Détective-Club ? Combien ? Quels en sont les titres ?

17. Quel autre genre de livre aimes-tu ? (Tu peux citer des ouvrages qui ne sont pas des récits à suspense).

18. Quel âge as-tu ?

19. Es-tu un garçon ou une fille ?

20. Aimerais-tu qu'il existe un vrai Détective-Club ?

21. Quelle genre d'insigne du club proposerais-tu ? (Choisis ton préféré et écris le numéro correspondant sur ta feuille).
    21A. Carte de membre.
    21B. T-shirt.
    21C. Affiche.
    21D. Macaron.
    21E. Bloc à dessins.
    21F. Signet.

22. Achèterais-tu un autre volume de cette collection d'énigmes ?